Penguin
Random House
Grupo Editorial

MINECRAFT™ 2: Morcegos na Noite!
Título original: Minecraft ™: Night of the Bats
Texto: Nick Eliopulos
Ilustrações: Luke Flowers
Publicado em 2019 pela Egmont, Londres.

© desta edição:
2020, PRH Grupo Editorial Portugal, Lda.

Booksmile é uma chancela de Penguin Random House Grupo Editorial Portugal.
Rua Alexandre Herculano, 50, 3.º, 1250-011 Lisboa
correio@penguinrandomhouse.com

Tradução: Susana Serrão
Revisão: Cláudia Cruz
Composição: Zeza Ventura

1.ª edição: março de 2020
3.ª edição: maio de 2024
ISBN: 978-989-668-867-7
Depósito legal: 530641/24

Impressão e acabamento: Agir

BI88677

MINECRAFT

MORCEGOS na NOITE!

Escrito por Nick Eliopulos
Ilustrado por Luke Flowers

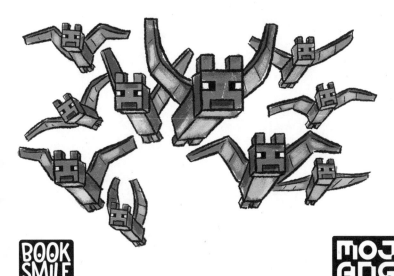

BOOK SMILE

livros que saltam à vista

MOJANG STUDIOS

OS JOGADORES

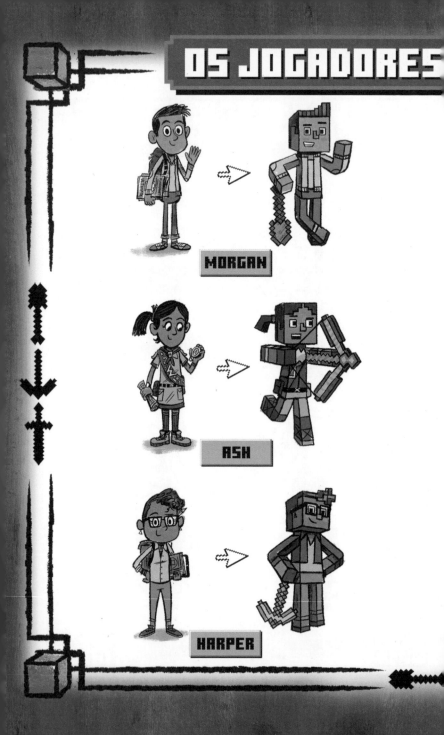

MORGAN

ASH

HARPER

APRESENTAM-SE

PO

JODI

PROF.ª MINERVA

DRA. CULPEPPER

Prólogo

ESTÁ SEMPRE MAIS ESCURO DURANTE O *FLASHBACK* PORQUE TAMBÉM É QUANDO OS ZOMBIES ATACAM!

Havia seis vultos de pé na luz que começava a esmorecer.

Cinco eram colegas de turma, amigos, e de estatura baixa. Certos recentes e estranhos acontecimentos tinham-nos levado a aprender a trabalhar em equipa. Porém, esta noite, a possibilidade de perigo que enfrentavam parecia esmagadora.

O sexto vulto era mais alto e mais largo do que os restantes. Não era humano. A pele era cinzenta e feita de ferro. Os olhos reluziam num tom vermelho.

Os amigos tinham esperança de que aquilo os pudesse proteger.

— Preparem-se — disse um deles. — **VÊM AÍ.**

Era verdade. Não muito longe, vislumbrava-se um bando enorme de monstros: zombies e esqueletos e mobs hostis. Mal se viam na luz refletida da lua que acabava de subir no céu.

Avançavam na direção daqueles seis vultos.

Capítulo 1

MORCEGOS, PRIMEIRA PARTE: SÃO AMIGOS, INIMIGOS, OU COLEGAS DE TURMA?

A Ash Kapoor esperava atentamente ouvir chamar o seu nome. Não queria ter falta por engano, embora a Diretora de Turma, a Prof.ª Minerva, tivesse acusado a receção da maçã vermelha e lustrosa que a Ash lhe tinha deixado na secretária quando chegara à sala de aula.

A Prof.ª Minerva estava a tentar fazer a chamada, mas havia um **som estranho** vindo das condutas de ar condicionado. A Ash, sentada ao fundo da sala, achava-o incomodativo.

— Po Chen — chamou a professora.

O Po, que era amigo da Ash, girou na cadeira de rodas. Levantou o braço como se estivesse a atirar uma bola ao cesto. **O Po era um ás do básquete**. Toda a gente na escola o conhecia pelas suas **aptidões atléticas**.

— Presente!

Depois de dizer mais uns nomes, a Prof.ª Minerva chamou:

— Harper Houston.

Sempre a ler, a Harper pôs a mão no ar, sem tirar os olhos do manual.

A Ash achava que a **Harper era um génio. Era especialmente boa a Matemática**

e Ciências. Também tinha ótima memória. Parecia lembrar-se de tudo, das fórmulas de Álgebra às datas de aniversário dos amigos.

A Ash era a seguir. Esperou que a Prof.ª Minerva a chamasse, pôs a mão no ar e estabeleceu contacto visual com a professora, para garantir que a tinha visto. A professora sorriu, anuiu e assinalou a presença da Ash.

A Ash era nova na **Escola de Woodsword.** Só chegara há umas semanas, mas, agora que já estava integrada, tinha esperança de cumprir tudo

com assiduidade. A Ash gostava de dar o seu melhor em todas as coisas. Era assim que conseguia tantas medalhas das Escoteiras Bravias.

Das condutas ouviu-se outro pequeno som de arrasto, seguido de um ruído metálico. A Ash olhou ao redor. **Parecia que mais ninguém tinha reparado**.

Podia ser que o ar condicionado, por vezes, fizesse barulho.

— Jodi Macedo — chamou a professora.

A Ash sorriu. A Jodi tinha sido a primeira amiga dela naquela escola. Era criativa, destemida, e um bocadinho esquisita. **Dado que a Jodi tinha adiantado um ano**, era mais jovem e mais pequena do que os colegas. Contudo, era igualmente inteligente, e a Ash achava que ela era melhor artista da turma.

A seguir, na chamada, vinha o irmão mais velho da Jodi. **Era obcecado por Minecraft**, como a própria Ash. Uma das muitas coisas que eles tinham em comum.

— Morgan Macedo — disse a Prof.ª Minerva.

— Presente! — exclamou o Morgan em voz alta, de um modo entusiástico.

O ruído das condutas aumentou. Mais parecia que alguma coisa reagia ao som da voz dele. Ouviram-se mais sons de arrastos e um pequeno *tss-tss*.

Dessa vez, a Jodi também reparou.

O que foi aquilo?, perguntou ela por mímica.

A Ash **encolheu os ombros exagera-damente**, como que a responder *Não faço ideia.*

Nisto, a porta da sala de aula escancarou-se e bateu na parede com um **estrondo** tremendo.

À porta, estava a professora de Ciências, a Dra. Culpepper.

— Prof.ª Minerva — falou ela, sem fôlego. — **Vim avisar-te...**

Antes que a professora acabasse a frase, a conduta do ar condicionado, acima da cabeça da Ash, rebentou. Entraram na sala dezenas de vultos escuros, a chiar e a guinchar, a esvoaçar e a bater as asas.

— Mas são… ? — proferiu a Jodi.

— **Morcegos!** — bradou a Ash.

A sala de aula ficou num caos. **Os miúdos gritavam**. Uns baixavam-se, outros tentavam enxotar os morcegos.

A Ash escondeu-se atrás da carteira e viu que a Jodi tinha feito o mesmo.

— **Isto é um pandemónio!** — exclamou.

— Pois é! — disse a Jodi. — Mas estou a adorar!

A Ash teve de se rir. Claro que a Jodi só poderia encarar aquela situação com humor.

A Prof.ª Minerva afugentava os morcegos, que faziam **voo picado rumo ao seu cabelo frisado**.

— Toda a gente lá para fora! — mandou. — Despachem-se, mas não corram, se fazem favor!

A Ash queria mesmo correr, mas gatinhar também servia. Teve de arrastar a mochila atrás de si.

A maior parte da turma já estava no corredor quando, subitamente, **a Ash se apercebeu de uma coisa**.

Tinham deixado o pobre **Barão Bochechas** lá dentro!

Hesitou por um breve momento antes de se virar e se dirigir mais ao fundo da sala.

— Ash! — A Jodi chamou-a. — O que estás a fazer?

O *Barão Bochechas* era o hamster da turma. Era tarefa da Ash, e do Morgan também, tomar conta dele. **Ela não acreditava que os morcegos lhe fizessem mal,** mas também não achava boa ideia deixá-lo na sala.

Além disso, ele ainda não tinha comido a bolacha da manhã.

Assim que tomou a decisão de atravessar a sala, a Ash levantou-se rapidamente, pôs a mochila ao ombro, e pegou na gaiola do hamster. Levar tudo seria mais rápido do que tirá-lo lá de dentro.

Porém, a gaiola era mais pesada do que parecia.

— **Eu ajudo** — disse o Morgan.

17

A Ash virou-se e viu que o Morgan também tinha entrado na sala de aula. Mas quase que **levava com uma asa de morcego na cara**. Pronto. Agora estava contente por ter o Morgan com ela.

Com a ajuda do Morgan, a gaiola já nem parecia pesar nada. Baixaram as cabeças e atravessaram a sala em segundos.

A Prof.ª Minerva **bateu com a porta** atrás deles.

A Ash sorriu para o Morgan.

— Obrigada por ires ter comigo.

Ele retribuiu o sorriso.

— Obrigada por te lembrares do *Barão*. Fiquei em pânico por me ter esquecido dele!

O hamster parecia completamente impávido e sereno no meio daquela situação. Ainda mais quando a Ash enfiou uma bolacha dentro da gaiola.

— Minerva, peço muita desculpa — disse a Dra. Culpepper. **Com o nervoso miudinho**, andava de um lado para o outro enquanto falava. — Queria avisar-te dos morcegos. Não me ocorreu que **a minha entrada ruidosa** fosse provocá-los.

Se, por um lado, a Dra. Culpepper não parava quieta, por outro, a Prof.ª Minerva permanecia muito calma. Pôs tranquilamente as mãos nas ancas.

— E como é que sabias que as condutas estavam cheias de morcegos? — perguntou. — Era mais um dos teus projetozinhos, Culpepper?

— Não tive nada que ver com isto! — insistiu a Dra. Culpepper, a gesticular com as mãos para dar ênfase ao que dizia. — Reconheci **OS SONS** que saíam das condutas esta manhã. E ando atrás do barulho, de sala em sala, desde então.

A Prof.ª Minerva estava com ar de quem não acreditava inteiramente na professora de Ciências.

— Pelo menos está bom tempo lá fora — disse. — Turma, vão para o recinto desportivo. Vou lá ter assim que informar o Diretor.

— Então e o *Barão Bochechas?* — perguntou o Morgan.

— O hamster pode ficar comigo — respondeu a Dra. Culpepper. — É o mínimo

que posso fazer. — Estalou os dedos como que a lembrar-se de alguma coisa. — Aliás, queria falar com alguns dos alunos, Minerva. Posso levar a Ash, a Harper, o Po e os irmãos Macedo?

A Ash e o Morgan entreolharam-se. A professora tinha convocado a equipa inteira de Minecraft. Não poderia ser coincidência, pois não?

Ocorreu à Ash que o segredo deles poderia ter sido descoberto. A Dra. Culpepper saberia a verdade sobre o jogo? Ou sobre a mensagem que eles tinham encontrado enquanto jogavam?

Ouviu-se um ruído estridente, e a Ash avistou um pequeno morcego empoleirado na cabeça da Prof.ª Minerva. Parecia que nem tinha reparado.

Ela suspirou de cansaço. Fosse o que fosse que a Dra. Culpepper tinha em mente para eles, não poderia ser pior do que o desastre que acontecera naquela sala. Pelo menos, assim o esperava.

Capítulo 2

É TUDO MUITO DIVERTIDO ATÉ ALGUÉM ROUBAR A TUA TECNOLOGIA SUPERSECRETA DE PORTAIS DE RV.

Morgan sorriu quando ele e os amigos entraram na **Sala de Informática**. *Este sítio*, pensou ele, *é onde a magia acontece.*

Literalmente, talvez. Ele ainda não decidira se era magia ou superciência. Só sabia que a professora tinha feito vários pares de **óculos de realidade virtual, também conhecida por RV**. Os óculos estavam enfeitados com símbolos estranhos e luminosos, que quase pareciam palavras de um **alfabeto desconhecido**. Ele e os amigos tinham descoberto que os óculos os deixavam **entrar no jogo Minecraft**. Não era como se fosse real. Era *mesmo* real. E era tão fixe!

Contudo, o sorriso dele esmoreceu quando viu onde a Dra. Culpepper os levava — iam direitos aos óculos de RV, pendurados em ganchos na parede.

Havia cinco pares. Deveria haver seis.

— Não havia mais um par? — perguntou ela, aparentemente a falar com os seus botões. — Poderia jurar… Seja como for, há muito espaço para o vosso hamster aqui.

O Morgan e os outros entreolharam--se. Após as primeiras aventuras no jogo, tinham-se apercebido de que alguém levara o sexto par de óculos. Só não sabiam quem!

Ele e a Ash pousaram a gaiola do hamster em cima da mesa.

— Obrigada por dar abrigo ao *Barão Bochechas*, Dra. Culpepper — agradeceu a Harper. O Morgan sabia que ela admirava muitíssimo a professora.

— É uma solução temporária — explicou a professora. — **Teremos de resolver este problema dos morcegos.** As condutas dão-lhes acesso a todas as salas da escola.

A Jodi tapou o pescoço.

— Não vão morder-nos e beber-nos o sangue, pois não?

— **Esse é um preconceito comum** — respondeu a Dra. Culpepper. — Acreditem, os morcegos têm mais medo de nós do que nós devemos ter deles. Certamente que não nos vão atacar. — Ela afagou o queixo. — Mesmo assim, são animais selvagens. A escola não é lugar para eles.

— Oh, só querem instruir-se — brincou o Po.

— Os adultos tratam dos morcegos — decidiu a professora. Encostou-se a uma mesa e cruzou os braços, sossegando finalmente. — Pedi que viessem cá para saber como vai o projeto extracurricular. Digam-me, **repararam em alguma coisa estranha** enquanto jogavam Minecraft? Qualquer sinal de que os óculos não funcionam devidamente?

O Morgan mordeu o lábio. Por onde começar? Quer a Dra. Culpepper soubesse, quer não, os óculos eram muito mais do que qualquer tecnologia de RV que eles conhecessem. **Era espantoso**, mas também podia causar medo. Até então, eles tinham conseguido iludir **mobs hostis**, mas o Morgan sabia que essa sorte não duraria muito.

Depois, havia a mensagem misteriosa que eles tinham encontrado. «Cuidado com o Rei Evocador» estava escrito em letras enormes, como no famoso Letreiro de Hollywood. As letras eram feitas de **obsidiana**, roubada de um dos baús deles, durante a primeira grande aventura em Minecraft.

Havia mais alguém em jogo. Eles não faziam ideia de quem fosse, mas *só podia* ser o culpado do roubo do sexto par de óculos. Por conseguinte, obviamente que havia **mais alguém na escola a saber do poder daqueles óculos**.

O Morgan limitou-se a encolher os ombros.

— Reparámos em coisas… esquisitas — disse. — Mas queremos elaborar uma lista completa para a professora. Ainda mal fizemos alguma coisa com eles. Sabe, temos só jogado Minecraft.

A Dra. Culpepper sorriu.

— Muito bem. Fico à espera do vosso relatório. Entretanto, verei o que posso fazer para **tirar os morcegos** da vossa sala.

— Obrigada, Dra. Culpepper — afirmou a Ash. — Diga-nos se pudermos ajudar em alguma coisa.

— Com certeza — referiu a professora. — Ah, Ash? Chama-me apenas doutora, está bem? O «Dr. Culpepper» era o meu pai. A minha mãe também. E uma das minhas avós, já agora.

A professora começou a remexer nos caixotes de equipamento eletrónico. Os miúdos despediram-se, mas ela já estava absorta noutra dimensão. **A Dra. Culpepper era engraçada…** muito atenta num minuto e superdistraída no outro.

Ora, o Morgan tinha fé de que o problema dos morcegos já estava **praticamente resolvido**, agora que a professora estava em campo. A caminho do recinto desportivo, perguntou:

— Então, vamos voltar à Sala de Informática hoje depois das aulas, não é?

O Po suspirou.

— Vou chegar tarde. Tenho treino de básquete.

— Não faremos nada de muito espantoso sem ti — prometeu a Jodi.

— Para ser franco, não sei se deveríamos fazer coisa alguma — disse o Po. — Há mais alguém ralado com os morcegos?

— **Oh, são inofensivos** — respondeu o Morgan. — Basta imaginá-los tipo o *Barão Bochechas*, mas com asas.

Tendo dito isto, já não conseguia deixar de imaginar o *Barão Bochechas* com asinhas esvoaçantes. Com um chapéu alto e um lacinho também.

— Hum, Morgan? — A Jodi chamou o irmão à Terra, vindo do mundo dos hamsters voadores em traje de cerimónia. — Qual é a graça?

— Nenhuma — respondeu o Morgan, **a acordar do delírio**.

— Estou a tentar defender uma questão — explicou o Po. — Os morcegos são dos mobs mais comuns em Minecraft.

— Pois — concordou o Morgan. — Já os ouvimos chiar quando estamos no poço da mina, mas não metem medo nem nada.

— **Mas não achas estranho** terem aparecido aqui morcegos logo depois de começarmos a jogar? — perguntou o Po.

O Morgan estava confuso.

— Tu achas… que os morcegos… saíram do jogo e entraram na escola?

— É uma coincidência estatisticamente improvável — disse a Harper. — E é esquisito.

— Mas tudo isto é improvável, não é? — questionou o Po. — Afinal, nós conseguimos entrar no
Minecraft. Sabe-se lá se não pode sair alguma coisa?

— *Tss, tss* — ouviu-se a Harper. — Essa hipótese contraria completamente a lei da conservação
da massa.

— Agora já estás a inventar coisas — disse o Po.

— Tu é que estás a inventar coisas!

Enquanto discutiam, **o Morgan entregou-
-se a mais um devaneio. Pensou na teoria do Po.** Não achava altamente provável que os
morcegos tivessem ganhado vida, sabe-se lá como,
por causa do jogo. Porém, tinha de admitir a possibilidade, o que era uma ideia perturbante.

Os morcegos eram uma coisa. **Era loucura,
mas suponhamos que mais alguma
coisa os tinha seguido para fora do
jogo?** Tipo, um zombie. Ou um wither.

Ou um Rei Evocador. Fosse lá o que fosse, não
soava *nada* amistoso.

Capítulo 3

QUANDO A AVENTURA CHAMAR, RESPONDE! A AVENTURA NÃO DEIXA VOICE MAIL.

Depois das aulas, a Jodi pôs os óculos e deu consigo imediatamente dentro do jogo. **Esticou os braços cúbicos** e depois caminhou a pouca distância do castelo que ela e os amigos tinham construído. Como estavam à espera de que o Po

terminasse o treino e fosse ter com eles, a Jodi tinha tempo para começar uma nova escultura.

Tinham concluído o castelo há cerca de uma semana. **Era uma construção impressionante**, e a Jodi orgulhava-se disso. Todos se orgulhavam.

Mas o Minecraft não era para ficarem quietos. Uma vez terminado o castelo, tinham começado projetos novos. A Jodi iniciara um parque de esculturas.

Já tinha criado um obelisco em **empedrado**, uma cabeça ao estilo da Ilha de Páscoa, também em empedrado, e um grande cubo flutuante… em empedrado, uma vez mais.

Empedrado e terra eram os dois materiais que abundavam. Só que a terra fazia-lhe impressão.

O projeto seguinte seria uma escadaria enorme que subiria mais alto do que o castelo. Porém, seria uma escadaria flutuante. **Não haveria maneira de uma pessoa a subir.** Teriam de a admirar à distância.

Começou com uma base de terra, que tiraria mais tarde. Acabara de começar a assentar empedrado quando o Morgan e os outros se aproximaram.

— **TENHO UMA IDEIA** — declarou o irmão. — Acho que deveríamos ir à procura do Rei Evocador.

A Jodi virou a cabeça em forma cúbica, com uma expressão admirada.

— Achas? — perguntou. — Então mas não era suposto termos *cuidado* com ele?

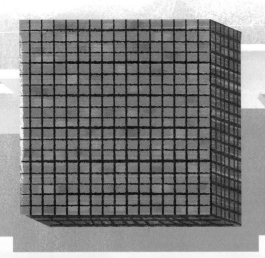

— «CUIDADO» NÃO COSTUMA SIGNIFICAR «IR À PROCURA» — frisou a Harper.

— Eu sei o que significa — disse o Morgan. — Se for assim tão perigoso… Se andar *por aí*… será boa ideia esperar que ele nos encontre a *nós*?

— Mas foi por isso que construímos o castelo — relembrou a Harper. — Serve para nos proteger.

— O castelo pode impedir os mobs — justificou o Morgan. — Estou preocupado é que esse **REI EVOCADOR** possa ser outra coisa.

A Ash semicerrou os olhos.

— Achas que o Rei Evocador é outro jogador, não achas?

— Faz sentido — respondeu o Morgan. — Alguém na nossa escola levou o sexto par de óculos. Deve andar a usá-lo para entrar no jogo, não é?

A Jodi não tinha tanta certeza.

— **ENTÃO TU ACHAS QUE O LADRÃO DOS ÓCULOS, O LADRÃO DA OBSIDIANA E O REI EVOCADOR SÃO TODOS A MESMA PESSOA?** Mas porquê avisar-nos do Rei Evocador se for *mesmo* o próprio rei?

— Talvez seja para nos baralhar — respondeu o Morgan. — Ou para nos impedir de entrar no seu território. Só há uma maneira de descobrir.

— Eu também queria ver mais deste mundo — afirmou a Ash.

— **E PROMETEMOS À DRA. CULPEPPER RECOLHER MAIS INFORMAÇÕES** — disse a Harper. — Não podemos fazer isso se ficarmos num só lugar.

A Jodi olhava já com saudades para o castelo e para o parque de esculturas.

— **MAS ACABEI DE COMEÇAR A MINHA OBRA-PRIMA** — queixou-se, a apontar para a base da escadaria flutuante que assentara, e acrescentou em tom teatral: — Ia chamar-lhe *Estrada para o Sol*.

— Tornaremos a assentar o nosso acampamento — disse a Ash. — De certeza que hás de ter hipótese de a construir.

A Jodi suspirou.

— Pois. A verdade é que me dariam jeito novos materiais. **NÃO TENHO VISTO ARENITO NENHUM.** Quanto à madeira, aqui é tudo carvalho. Adoraria encontrar matérias novas.

— Então estamos de acordo?

— Devíamos esperar pelo Po para ser unânime — lembrou a Ash. — Mas de certeza que ele quer uma aventura.

Nisto, como que convocado, o Po apareceu à esquina. **Hoje mais parecia um pastor.**

— Ora viva, cá estão vocês! — exclamou. — O treino de básquete acabou por ser cancelado, porque a Culpepper arrebanhou todos os morcegos dentro do ginásio! Estão a dormir nas vigas. Cheguei aqui há uns minutos e não encontrava ninguém.

— Não te ponhas à vontade — disse a Harper. — Fizemos votação. Todos achamos que devíamos deixar o castelo para ver o que mais há por aí.

— Ora, bolas — lamentou o Po. — **MAS ACABEI DE TINGIR AS OVELHAS!**

— Tu tingiste as ovelhas? — perguntou a Jodi, e riu-se. — Isso é que eu tenho de ver.

Foram atrás do Po até ao cercado onde viviam a *Bela* e a *Bola*. Era verdade. Uma delas estava **amarela**, e a outra **azul**.

— Achei que assim já as conseguimos distinguir finalmente — explicou ele. — Além disso, tenho esperança de que tenham um bebé verde!

— Não é assim que a ciência funciona — referiu a Harper.

— Aqui é! — exclamou o Po, todo contente. — **É MAIS UMA RAZÃO PARA ADORAR ESTE SÍTIO.**

— Eu também — disse o Morgan. — E não vamos deixar que ninguém nos cause medo, ou vamos?

Todos abanaram as cabeças. O Po completou, declarando:

— **NEM PENSAR!**

A Jodi sorriu.

— Está bem, mano velho. Tens razão. É altura de ver o que há por aí. — Ela ergueu uma espada de madeira. — Rei Evocador, cuidado *connosco!*

Capítulo 4

CADA VIAGEM COMEÇA COM UM ÚNICO PASSO. E CADA PASSO COMEÇA COM UM IMPULSO ELÉTRICO NO CÉREBRO!

Antes de aprender a fazer coisas, a Harper aprendera a desfazê-las.

Afinal, era a melhor maneira de ver como funcionavam. Quando terminara a escola preparatória, a Harper já tinha desmontado uma torradeira, um aspirador, dois computadores portáteis e um televisor antigo.

Claro que tudo era supervisionado por um adulto. **Não que os pais percebessem muito de eletrónica.** A mãe era pintora, o pai escultor. A especialidade do Sr. Houston era transformar lixo em objetos bonitos. Tinha precisado de placas de circuitos e de bobinas do televisor para as suas criações. Assim, **a Harper tinha podido ajudá-lo**, enquanto satisfazia a curiosidade sobre engenhocas.

Não era, porém, por saber isso que ficava mais fácil, naquele momento, desfazer o próprio trabalho. Faltava material e ela precisava do pó de redstone. A maneira mais rápida de o conseguir era **desmantelar o mecanismo de alavancas** que fizera para a porta da fachada do castelo.

— Feito — disse, e mostrou a criação mais recente para todos verem. O Morgan reconheceu-a logo.

— Uma bússola! — exclamou. — Boa ideia, Harper.

Todavia, a Jodi estava cética.

— Tens a certeza de que precisamos dela? — perguntou. — O sol nasce a leste e põe-se a oeste, tal como na vida real. Não poderia servir para nos orientarmos?

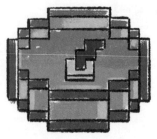

— Ah, mas **UMA BÚSSOLA EM MINECRAFT** é especial — revelou a Harper. — Vai mostrar-nos sempre o caminho para o nosso ponto de geração.

— O nosso quê…? — perguntou a Jodi.

— **O NOSSO PONTO DE GERA-ÇÃO**. Onde aparecemos aqui no nosso primeiro dia — explicou o Morgan.

— E dado que construímos o castelo bem perto desse ponto…

— Saberemos sempre encontrar o caminho para cá — rematou a Harper. — Se quisermos ver as esculturas ou as **OVELHAS** outra vez!

— Pois, isso das ovelhas… — começou o Morgan.

— Sim? — insistiu a Harper.

— Bem, tenho estado a pensar…

A Jodi atalhou logo:

— Tu é que pareces uma ovelha indecisa! — **E riu-se da própria piada.**

O Morgan não se riu.

Finalmente, saiu-lhe:

— Achas que, se calhar, as deveríamos comer?

As raparigas ficaram boquiabertas.

— **COMER A *BELA*?** — perguntou a Jodi.

41

— E a *Bola*? — prosseguiu a Harper.

— Vamos precisar de comida lá — disse o Morgan. — Significa que, provavelmente, vamos ter de arranjar animais. — Perante o ar **chocado** dos amigos, acrescentou: — Nem sequer são a sério!

— **NHAM... PARECE DELICIOSO** — disse a Jodi, sarcástica, e a esfregar a barriga para um efeito mais dramático.

— A sério ou não, não vamos comer animais a quem demos um nome — afirmou a Harper.

— Ou um animal que te dei de presente! — acrescentou a Jodi. — A *Bola* representa o nosso elo de irmãos!

— Está bem, pronto — concordou o Morgan. — Desculpem ter falado nisso, mas deveríamos cozer pão antes de partirmos. **DEVERÍAMOS TAMBÉM APANHAR AS MAÇÃS QUE PUDERMOS ENQUANTO FORMOS À DESCOBERTA.** Vamos precisar.

— E teremos de ser inteligentes quanto a quem carrega o quê — disse a Ash. Ela e o Po avançavam para eles. — Acabámos de revistar os baús e de falar no que levar... e no que deixar.

— Detesto deixar coisas — referiu o Po. — Mas não podemos levar tudo.

— Bem, guarda uma slot para isto — disse a Harper, a empunhar **uma espada de ferro**.

— Ui — entoou o Po. — Mas que belo progresso.

— Vou fazer para todos — informou a Harper. — Espero que não precisemos, mas prefiro estar preparada.

Rumaram a norte, na direção das letras de obsidiana, e viraram a oeste, rumo à cordilheira de montanhas cobertas de neve. Decidiram que teriam um ótimo panorama dali. Desse ponto, poderiam decidir o passo seguinte.

Era uma subida contínua, ou seja, tinham de saltar com frequência. Ali não havia encostas suaves. **A elevação aumentava blocos inteiros de uma vez.** Depressa chegaram alto o bastante para aparecerem talhões cobertos de neve.

De cada vez que o caminho os levava por uma árvore baixa, batiam nas folhas. **Estavam com sorte**, apanharam várias maçãs em poucos minutos.

Mas não encontraram só isso.

— Jodi — sussurrou o Po. Tremia de excitação.

— **JODI. OLHA, OLHA.**

Todos olharam para onde o Po apontava. Havia um animal ao longe. A Harper achou que era um cavalo, mas o pescoço era comprido demais e o focinho curto demais também.

— **É UM LAMA!** — guinchou a Jodi. — Eu quero! Eu quero o lama!

— Podemos ficar com ele? — perguntou o Po.

Sem ter a certeza, a Harper virou-se para o Morgan. Mesmo tendo jogado muitas horas de Minecraft, **interessava-lhe sempre mais construir do que domesticar animais.** Se houvesse maneira de fazer do lama um animal de estimação, o Morgan saberia.

— Tens de o agarrar bem enquanto ele tentar deitar-te abaixo — explicou ele. — É complicado e, com esta elevação, pode ser perigoso. **SE CAÍRES...**

Mas a Jodi foi atrás do lama, subiu rapidamente aos saltos a montanha íngreme.

— Vou fazê-lo adorar-me! — exclamou. — **VOCÊS VÃO VER**!

— Eu quero tingi-lo — disse o Po, aos saltos atrás da Jodi. — Devia ser roxo!

— Não vão para longe — avisou a Harper. O sol já descera no céu. Mesmo com espadas de ferro, **não lhe agradava a probabilidade de ficarem uma noite** ao relento.

Parecia que a Ash lhe lera o pensamento.

— Devíamos montar um pequeno abrigo — afirmou. — Há ali uma gruta. Vamos ver se é funda.

Como sempre, tiveram o cuidado de acender uma tocha assim que entraram na **gruta escura**.

A gruta tinha cerca de 12 blocos de profundidade. Seria um lugar perfeito para fazer as camas para essa noite.

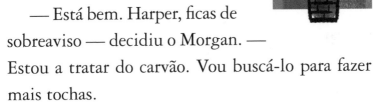

— **VOU BUSCAR A JODI E O PO** — disse a Ash.

— Está bem. Harper, ficas de sobreaviso — decidiu o Morgan. — Estou a tratar do carvão. Vou buscá-lo para fazer mais tochas.

— Leva isto — pediu a Harper, e **passou-lhe uma picareta de ferro.** Com a picareta, os blocos de carvão soltaram-se facilmente. Do outro lado... **havia algo verde a cintilar**.

— Eh, lá — exclamou o Morgan. — Não acredito na nossa sorte. — Pegou na picareta para soltar o bloco cinzento com laivos verdes, e apareceu uma pedra preciosa verde brilhante.

— É uma **ESMERALDA**? — perguntou a Harper.

— Pois é. **SÃO RARÍSSIMAS.** Vale mesmo a pena ocupar uma slot de inventário para a guardar.

— Malta? — A Ash chamou-os da entrada da gruta. — Deviam vir cá ver isto.

A Harper e o Morgan entreolharam-se. Ela percebeu logo o que ele estava a pensar: *Por favor, não digas que a Jodi se meteu em sarilhos.*

— ESPERO QUE O LAMA NÃO TENHA DESATADO A CUSPIR-LHES PARA CIMA — disse ele.

Ora, o lama tinha-se escapulido. A Jodi e o Po estavam calados no cume da montanha, a olhar para baixo.

— Venham ver — chamou o Po.

A Harper espreitou o vale que se estendia além da montanha.

Muito mais abaixo, via-se uma coleção de casas. Também havia terra arável e pequenos vultos a moverem-se em caminhos orlados por cercas de madeira.

A Harper sentiu um arrepio de excitação.

— É uma aldeia inteira — afirmou. — NÃO ESTAMOS SOZINHOS.

Capítulo 5

MORCEGOS, *TAKE* DOIS: DE QUE DISCIPLINA GOSTAM MAIS? TÊM PLANOS PARA O FIM DE SEMANA?

Po não conseguia parar de pensar na aldeia em Minecraft.

Todos tinham concordado que não haveria tempo para descobrir nada antes de o sol se pôr. Por conseguinte, saíram de jogo e voltaram à sua vida. Agora, no dia seguinte, as aulas avançavam com uma lentidão de meter dó.

O Po queria saber que surpresas haveria naquela aldeia.

Certamente que não havia surpresas no **miniteste** da Prof.ª Minerva sobre o *Sonho de uma Noite de Verão*. Quando ela anunciara ser hora do miniteste, o resto da turma resmungou baixinho. Mesmo com os morcegos presos no ginásio e as condutas da sala de aula bem vedadas, os alunos da Prof.ª Minerva ainda olhavam para ela com desconfiança. **Ninguém queria arriscar-se a provocar outra invasão de morcegos.**

Ora, o Po não se importava com o teste. Ele adorava Shakespeare.

Por vezes, tinha dificuldades de leitura. A mente andava sempre em três direções ao mesmo tempo. Tinha dificuldade em concentrar-se em excertos longos sobre confeção de manteiga, ou descrições poéticas da luz do Sol a refletir-se de determinada maneira num telhado de zinco.

Mas Shakespeare escrevera peças de teatro. *Sonho de uma Noite de Verão* tinha praticamente só diálogo entre personagens, além de uns discursos chamados monólogos. Havia casos de identidades baralhadas, e **uma personagem tinha sido transformada em jumento.**

O Po adorava essas coisas. Conseguia imaginar-se a desempenhar qualquer um desses papéis. Conseguia imaginar-se a fazer os tais discursos e a sentir o que as personagens sentiam.

A sua abordagem aos jogos era idêntica. Não jogava na sua pessoa, no miúdo chamado Po Chen. Imaginava-se guerreiro, ou feiticeiro, ou super-herói. Por isso é que, no Minecraft, experimentava sempre roupas novas. **Cada vestimenta parecia nada mais do que um convite para ser uma pessoa diferente durante algum tempo.**

Com o básquete suspenso até tratarem dos morcegos, o Po começou a pensar se deveria candidatar-se à peça da escola. Será que os miúdos de teatro o aceitariam?

O resto da escola? Por vezes, o Po ralava-se que só gostassem dele por ser tão bom no básquete. Suponhamos que experimentava representar e não tinha jeito nenhum?

— **Podem parar de escrever, turma** — ordenou a Prof.ª Minerva em voz baixa.

Ouviu-se outro resmungo pela sala fora. O Po levantou a cabeça. Queria confirmar, e sim, a conduta do ar condicionado continuava solidamente no lugar.

Então **os morcegos ainda estavam no ginásio.** O Po tinha outro dia sem treino de básquete. Parte dele sentia-se culpado por estar contente.

Enquanto o resto da escola não estava para aturar morcegos, a Dra. Culpepper usou-os como inspiração para dar a aula.

— Grande parte do trabalho de um cientista resume-se à observação — disse à turma. — Vocês

já estiveram perto destes animais.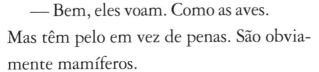
O que observaram neles? Ash?

— Bem, eles voam. Como as aves. Mas têm pelo em vez de penas. São obviamente mamíferos.

— Certíssimo — disse a professora, a esfregar as mãos. — Tal como os outros mamíferos, quando os bebés nascem, alimentam-se de leite. Não põem ovos, como fazem as aves. O que mais?

— Dormem o dia inteiro — referiu a Jodi.

— Que sorte! — exclamou o Po.

— Correto — afirmou a professora. — São noturnos. Dito de outro modo, **estão ativos à noite e dormem durante o dia.** Se vocês aguardassem no parque de estacionamento até ao entardecer, veriam a colónia inteira a sair do ginásio. Eles saem à noite para comer bichinhos. O que mais sabem? Morgan?

— São cegos — disse ele.

— Foi algo que observaste? — perguntou a professora.

— Bem, não… — respondeu o Morgan. — Mas ouvi uma vez em algum lado «Cego como um morcego.»

— Os cientistas já refutaram isso — explicou a Dra. Culpepper. — Os morcegos veem perfeitamente. Mas **muitas espécies usam ecolocação para se orientarem** e apanharem presas. Alguém sabe como funciona a ecolocação?

A Harper pôs a mão no ar.

— É uma forma natural de sondar — respondeu. — Os morcegos fazem sons e, com base **nos ecos que os sons lhes devolvem**, conseguem perceber detalhes acerca do ambiente. Mesmo na mais completa escuridão.

— Isso mesmo — disse a professora. — **E onde vivem os morcegos?**

— **Na escola** — respondeu o Po, e a maioria da turma riu-se.

— É justo — concordou a professora. — Mas qual é o seu habitat natural? Onde devem viver? Sabes, Po?

O Po pensou nos morcegos que tinha visto em banda desenhada.

— Grutas? — sugeriu.

— Certos morcegos vivem, de facto, em grutas. Ora, não há grutas nesta região. **De onde vieram os nossos morcegos?**

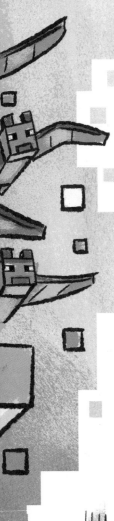

O Morgan pôs a mão no ar.

— Então e o parque? Li que certos morcegos vivem nas árvores.

— Então e o que é que vieram cá fazer? — perguntou o Po. Já tinha ouvido boatos disparatados. A Jodi tinha-lhe contado a sua teoria nessa manhã. **Sugeriu que a própria Dra. Culpepper tinha criado os morcegos num laboratório escondido na cave.** Todos faziam parte das experiências secretas de clonagem da professora… até fugirem!

Depois havia a teoria do Po. De que os morcegos tinham saído, sabe-se lá como, do Minecraft para o mundo deles. Se calhar, tinham sido mesmo «chocados» naquele par de óculos desaparecido. **Era uma teoria interessante, morcegos digitais a invadirem a escola.** Ele já não tinha tanta certeza de que fosse verdade, o que o levara a fazer a pergunta. — Porque é que os morcegos haveriam de se mudar para a nossa escola e viver no ginásio em vez de ficarem no seu habitat natural?

— **Excelente pergunta para um jovem cientista dar resposta** — afirmou a professora. — Espero que todos façam alguma pesquisa no vosso tempo livre. Mas, por agora, devem desimpedir, por favor, as carteiras! É altura de fazermos o miniteste.

Toda a turma resmungou em voz alta. Desta vez, o Po também resmungou.

A Dra. Culpepper riu-se interiormente, toda contente. Por uma vez na vida, o Po achou que poderia haver algum fundo de verdade na **teoria da Jodi sobre a cientista maluca.**

Capítulo 6

OS ALDEÕES QUEREM AS TUAS ESMERALDAS E NÃO AS TUAS PIADAS

— **E**STÃO TODOS PRONTOS? — perguntou a Jodi. Estavam de volta ao Minecraft, no cume da montanha. A aldeia estendia-se por baixo deles.

— Completamente — respondeu o Morgan. — Vamos… — Mas calou-se. — Po, o que é que tens vestido?

A Jodi virou-se para o Po **e, com a surpresa, deu um salto!** A Ash até gritou.

— O que foi? — perguntou o Po. Estava trajado de palhaço, com um tom de cabelo berrante e um grande nariz vermelho.

— Porque é que estás assim vestido? — questionou a Ash.

— Quero que os aldeões gostem de nós. **TODA A GENTE GOSTA DE PALHAÇOS.**

— **NEM TODA A GENTE GOSTA DE PALHAÇOS, NÃO SENHOR** — disse a Harper enfaticamente.

— Olha que não sei — contrapôs o Po, a cofiar o queixo colorido de palhaço. — Acho que desta vez estás enganada, Harper.

A Jodi riu-se. **Os avatares não podiam propriamente revirar os olhos**, mas ela tinha a certeza de que toda a gente estava a fazer isso.

— Então, como se chama um palhaço no cume de uma montanha? — perguntou o Po.

A Jodi não fazia ideia.

— Desisto — respondeu. — Como se chama um palhaço no cume de uma montanha?

— Impaciente! — exclamou o Po. — **VAMOS LÁ DESCER DE UMA VEZ.**

O Morgan suspirou.

— Está bem — disse. — Mas se os aldeões te perseguirem com tochas e forquilhas, *nós* não estamos contigo.

— Compreendo — afirmou o Po. — E se me fizerem rei deles e me cobrirem de prendas?

— **ENTÃO COMO A MINHA ESMERALDA** — respondeu o Morgan.

— Isso é realmente possível? — perguntou a Jodi. — Porque estou fartinha de maçãs. Maçãs, maçãs, maçãs por todo o lado. *Irra!*

— Vamos lá — sugeriu a Ash, a anuir com a cabeça em forma cúbica na direção da aldeia. — Talvez tenham comida a sério.

A zona estava numa grande azáfama. **Os aldeões deambulavam, buzinando uns para os outros.** Se fosse alguma língua, a Jodi nunca a tinha ouvido.

— Parece que nem se apercebem da nossa presença — disse ela. Avançou para um aldeão com uma túnica castanha. — *Truz-truz.*

Não obteve resposta.

— Oh! — disse ela. — Nem alinham em brincadeiras, como *truz-truz.* — Olhou para o Po. — Acho que a tua fatiota é um desperdício para eles.

O Po fez o barulho de um balão a esvaziar.

— É como eu esperava — referiu o Morgan. — Portam-se como aldeões normais, embora pareçam um bocadinho antiquados. É evidente que a Dra. Culpepper não está a executar a última atualização.

— **TALVEZ A TECNOLOGIA RV DELA NÃO FUNCIONE COM VERSÕES MAIS RECENTES DO JOGO** — alvitrou a Harper.

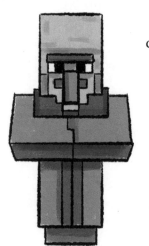

— Ou talvez isto vá para a lista de coisas esquisitas. — O Morgan falou mais baixo. — Fiquem de sobreaviso. **É POSSÍVEL QUE O LADRÃO ANDE POR AÍ.**

O aldeão da túnica castanha, que a Jodi abordara, atirou hortaliça a outro aldeão.

— Hum, aquilo é do que estamos à procura? — perguntou ela.

— Não — respondeu o Morgan. — Os aldeões de castanho são lavradores. Às vezes, repartem comida.

— **APANHA!** — exclamou a Ash. — Podemos precisar da comida.

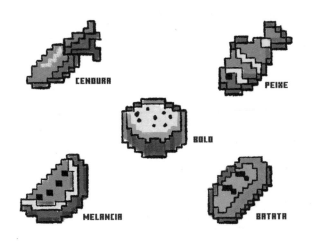

CENOURA

PEIXE

BOLO

MELANCIA

BATATA

— Olhem só para isto — afirmou a Harper. Estava diante de outro aldeão, trajado de negro.

— Pestanejei para este e **ABRIU-SE UM MENU DE TROCAS!** — Eles tinham aprendido, na primeira aventura, que pestanejar funcionava como fazer clique no rato, no mundo real. Podia abrir janelas inesperadamente e outras coisas mais. Ela semicerrou os olhos para ver um menu que mais ninguém avistava.

— **TROCAM UMA ESMERALDA POR CARVÃO.** Temos carvão de sobra?

A Jodi virou-se para a Ash.

— Ainda fazes inventário? — perguntou, e a Ash anuiu.

— Parece-me uma troca boa. **AS ESMERALDAS AQUI SÃO COMO MOEDA.** Podemos trocar o nosso carvão por uma esmeralda, e usar a esmeralda para comprar o que precisarmos.

— Entendido — disse o Po. — **ESMERALDAS EM TROCA DE GRANDES SAPATOS VERME-LHOS DE PALHAÇO.**

— *Não* vais gastar a esmeralda que acabei de extrair em sapatos de palhaço — referiu a Harper, a mostrar a pedra preciosa cintilante.

— **MAS O DINHEIRO É PARA GASTAR.** — A Jodi sorriu para o Morgan. — Sabes, há *séculos* que não vamos ao centro comercial.

O Morgan também sorriu.

— Está bem — concordou. — Vamos às compras!

A Jodi perdeu a noção do tempo conforme passava de aldeão em aldeão. **Era divertido ver o que cada um tinha para trocar.** Todavia, todos concordaram que ninguém devia comprar nada sem consultar primeiro o grupo.

Comprar comida era o que fazia mais sentido, mas a Jodi tinha visto terrenos aráveis no caminho para a aldeia. **Não poderiam tirar alimento dos campos de graça?**

Contaria como roubo, não sendo os aldeões pessoas reais? Eram apenas pedaços de código, não eram?

Por outro lado, o Morgan dissera o mesmo sobre as ovelhas, e a Jodi não tinha gostado nada.

Acabara de fechar a janela de trocas com um sacerdote de vestes roxas. O sacerdote queria carne podre, e a Jodi não imaginava por que razão. **Estava para dizer uma piada sobre isso** quando o sacerdote, de repente, virou costas e correu para dentro de uma casa.

Os aldeões estavam todos a recolher e bem depressa. A Jodi demorou um momento a perceber que a noite caíra sem nenhum deles ter dado por isso.

— Ena — disse. — **A HORA DE DEITAR É MESMO CEDO, POR AQUI.**

A Harper parecia preocupada.

— Já devíamos ter voltado. As nossas camas ficam do outro lado da montanha!

— **TEMOS UM BOCADINHO ANTES DE SER MESMO ESCURO** — afirmou a Ash. — Se nos despacharmos, conseguiremos voltar.

O Morgan hesitou um instante.

— Está bem — disse por fim. — Mas vamos agora, já.

Passaram por vários edifícios, e a Jodi viu aldeões a espreitar pelas janelas.

Depois passaram pelos campos, onde **a Jodi viu abóboras e batatas prontas para a colheita.** Perguntaria acerca de poderem levar alimentos assim que estivessem a salvo.

Estavam mesmo no sopé da montanha quando **a lua começou a subir no céu.**

— Não vamos conseguir — informou o Morgan. — Tenho um mau pressentimento…

Nisto, a Jodi ouviu grunhir **ao longe.**

E ossos a chocalhar.

Olhou para cima.

No cume da mesma montanha que eles tinham começado a escalar, **ela conseguiu vislumbrar a silhueta de uma figura andante.**

De duas figuras andantes.

De três.

— Oh, não — proferiu a Ash.

Havia dezenas de monstros na montanha.

E desciam à aldeia!

Capítulo 7

MOBS! MOBS! E AS COISAS ESTAVAM A CORRER TÃO BEM ATÉ AGORA...

— **DE VOLTA ÀS CASAS! JÁ!** — exclamou o Morgan. — Rápido!

Mas os monstros já galgavam a distância que os separava.

— Não vamos conseguir — disse a Ash. — Temos de lutar.

— Os dois têm razão — falou a Harper, com a espada no ar. — Vamos lutar até chegar às casas.

Ouviram um *zap!* que não lhes era estranho. O Morgan sabia o que era.

— **ESTÃO A DISPARAR FLECHAS CONTRA NÓS** — gritou. — Fujam!

E fugiram. O Morgan não fugiu a toda a velocidade. Não queria perder de vista a Jodi. Não queria deixar *ninguém* para trás.

Foi o primeiro a ter de lutar. **Um zombie apanhou-o e ele atacou-o com a espada.** Uma luz vermelha iluminou o zombie e virou-se completamente para ele. Quis agarrá-lo com as mãos podres. Grunhia um som sinistro.

Mas não lhe conseguia tocar. **O Morgan sabia esperar pelo ataque perfeito** e, a cada golpe da espada, derrubava o monstro para trás. Não tardou a derrotá-lo, reduzindo-o a uma baforada de pó digital e **um monte de carne podre**.

O Morgan sentiu a emoção do triunfo, mas não durou muito. No tempo que levara a derrotar um zombie, já mais três o tinham apanhado.

Estava cercado.

— Deixem o meu irmão em paz! — bradou a Jodi. Apareceu ao lado dele e golpeou um dos zombies. O Morgan estava impressionado. Para quem jogava quase sempre em Modo Criativo, a maninha tinha jeito com a espada.

Os outros estavam atarefados a lutar também, mas parecia que toda a gente se estava a aguentar. Até poderiam sobreviver àquilo.

— **VAMOS DAR-LHES MOTIVOS PARA GEMER** — afirmou a Harper.

— Ainda bem que não conseguimos cheirar nada aqui — referiu o Po. — Mesmo com este nariz vermelho enorme!

— Vocês voltaram por minha causa — disse o Morgan.

— Estamos juntos nisto — reforçou a Ash. **Despachou-se a abater um esqueleto**

armado de arco e flecha. Bufou. — Então como é que saímos juntos disto?

— Vamos conseguir — incentivou o Morgan. — Estamos a ganhar.

Nisto, ouviu novo som. Um *ssss* baixo e sibilante.

Arregalou os olhos.

— Parem de lutar! — gritou. — Todos para trás! Para trás, já!

Mal conseguia ver o creeper na horda de zombies. Era tão branco como a luz.

Não poderia chegar a tempo. Não o impediria de...

BUUM!

O creeper explodiu. O Morgan ficou com os ouvidos a tinir. Mais do que isso... *doía-lhe.*

Eles podiam sentir dor ali.

— Estás bem? — perguntou a Jodi.

— Estou — respondeu. — Acho que sim. Vocês?

— Todos nos safámos a tempo — disse a Ash. — Graças ao teu aviso.

— Os amigos mortos-vivos já não tiveram a mesma sorte — apontou a Harper.

Tinha razão. **O creeper servira para uma coisa.** Limpara completamente os zombies e esqueletos que restavam de pé. Havia uma cratera no chão onde eles tinham estado. Também havia muito saque por ali, **carne e ossos** e pedaços da paisagem.

— Mais vale pegar nisto — falou o Morgan. — Nunca se sabe...

O Po guinchou, alarmado, e apontou para longe.

Ao luar, o Morgan distinguiu **mais mobs a descer a montanha.**

— Isto... isto foi só a primeira vaga!

— Conseguimos voltar à aldeia — frisou logo a Harper. — Tem de ser.

— Está bem, vamos — concordou o Morgan.
— Depressa!

Correram pela rua direita da aldeia. Todas as portas estavam fechadas.

— Arrombamos uma delas? — perguntou a Jodi.

O Morgan sabia o que a irmã queria dizer. **Parecia diferente entrar de rompante na casa de alguém quando o jogo parecia tão real.** Estar dentro do jogo tornava os aldeões mais parecidos com pessoas. Porém, ele teria de ser mal-educado, se isso o ajudasse a si e aos amigos a passar a noite abrigados.

O Morgan viu uma luz na escuridão. Um dos aldeões tinha aberto a porta de casa.

— **POR ALI!** — exclamou.

Todos entraram, e o Morgan fechou a a porta.

— Eles não entram? — perguntou a Jodi.

— Não — respondeu o Morgan. *Desde que não expluda mais nada*, pensou. — Mas é melhor ficar longe de portas e janelas.

Foi quando o Morgan reparou no que o rodeava. Havia **filas e filas de livros coloridos** por toda a parte.

— Estamos numa biblioteca — constatou.

— E não é só — disse a Ash. — Olhem.

Ao fundo da biblioteca, havia uma mesa reluzente de obsidiana e diamante. Um livro fechado flutuava sobre ela.

— É uma mesa de encantar — afirmou a Harper, abismada. — As coisas que poderíamos fazer com aquilo…

O Morgan aproximou-se. O livro abriu-se magicamente quando ele chegou perto. Subiram no ar símbolos estranhos, **como se o livro tirasse informação das estantes** a toda a volta.

Os símbolos não eram estranhos ao Morgan. Já os tinha visto, e há pouco tempo.

— Ena — exalou.

A Harper passou por ele e começou a folhear o livro.

— Isto daria para fazermos armas melhores… **E ARMADURAS RESISTENTES PARA FICARMOS A SALVO.** Mas não temos os materiais necessários. Ainda não.

— Um dia — disse a Ash. Ouviu-se grunhir alto, lá fora. — Se sobrevivermos a esta noite!

O Morgan espreitou pela janela. **Os mobs percorriam a aldeia**, seguiam a rua direita rumo à floresta, do lado oposto ao das casas. Eram às dezenas.

— Parece que vamos passar aqui a noite — constatou ele.

O Morgan virou-se para uma aldeã trajada de branco que os observava do outro lado da sala. **Ele sabia que os bibliote-cários trajavam de branco, mas aquela bibliote-cária parecia--lhe um pouco invulgar.** Tinha cabelo cor de laranja vivo e nariz comprido.

— Não te importas, pois não? — pergun-tou-lhe.

A bibliotecária buzinou. Atirou comida.

— Achava que só os lavradores é que faziam isso — comentou a Ash. O Morgan suspirou.

— Nesta altura, já não sei o que será avaria ou não. **NUNCA TINHA VISTO TANTOS ZOMBIES NUM SÓ SÍTIO.** Piscou os olhos duas vezes para ver o inventário… e a saúde. Faltavam-lhe vários corações. — E estou ferido. Dava-me jeito a comida.

— **COME LÁ, MANO VELHO** — disse a Jodi. Ouviu-se outro grunhido atrás da porta. — Mas não tenhas pressa. Temos a noite toda.

Capítulo 8

É PRECISO UMA ALDEIA PARA EDUCAR UMA CRIANÇA! É PRECISO UMA HORDA PARA ARRASAR UMA ALDEIA!

Quando o sol nasceu na manhã seguinte, não havia zombies novos no cume da montanha. Os mobs que tinham entrado na aldeia também tinham seguido rapidamente para a floresta, **fugindo antes que os raios de sol lhes tocassem.**

Os cinco amigos tinham estado presos dentro da casa enquanto passava pela aldeia um desfile infindável de monstros. Agora já tinham o caminho livre e podiam voltar às suas camas. Regressaram à gruta, ativaram as camas, e desliga-ram-se do mundo digital.

Tinha sido a sessão de jogo mais longa até à data. O Morgan tinha ficado ferido! A Jodi até estava aliviada por pendurar o par de óculos e ir para casa nessa noite. **Os trabalhos de casa seriam canja quando comparados com a luta contra os zombies.**

Na escola, no dia seguinte, a equipa de Minecraft juntou-se na sala de aula para conversar, antes de dar o toque de entrada.

— Temos de fazer alguma coisa com aquelas pestes — disse o Morgan.

A Jodi sabia que ele se referia aos **mobs hostis que tinham atacado a aldeia** e os tinham encurralado durante a noite. Mas a Prof.ª Minerva ouviu-os falar e claramente pensou que se referiam a outras pestes.

— Sei que os morcegos têm sido um transtorno — reconheceu a professora —, mas fui informada de que o Conselho Diretivo tem finalmente um plano para lidar com eles.

— **Adoro um plano inteligente** — referiu a Ash. — Qual é?

A Prof.ª Minerva franziu a testa.

— Infelizmente, não é o que eu chamaria de plano *inteligente*. **Decidiram chamar um exterminador.** Vai tratar do problema este fim de semana.

A Jodi ficou boquiaberta. *Exterminador? Tratar do problema?* Sabia exatamente ao que a Prof.ª Minerva se referia.

— **Não podem exterminar os coitadinhos!** — exclamou.

— Concordo com a Jodi — disse a Harper. — **Os morcegos portam-se segundo a sua natureza.** Não fizeram nada de mal.

— E são fofos — acrescentou o Po. — Ainda são mais queridos do que o *Barão Bochechas*.

Agora era o Morgan a ficar boquiaberto.

— Como te atreves? — barafustou. — **Não há nada mais fofo do que o *Barão Bochechas!***

O Po fez cara de gozo.

A Prof.ª Minerva pôs a mão no ar a pedir silêncio.

— Compreendo o que sentem — falou. — Quem me dera que houvesse outra solução. Mas simplesmente não podemos continuar desta maneira. — Cruzou os braços. — Por mais fofos que sejam, *são* pestinhas.

A Jodi mordeu a língua. **Já lhe tinham chamado pestinha.** Não era nada simpático.

Não conseguia deixar de pensar que tinha de haver melhor maneira de lidar com o problema.

Assim que voltaram ao Minecraft, deitaram mãos à obra.

— Peguem nas camas — ordenou a Ash. — Precisamos de **VOLTAR AO JOGO** mais perto da aldeia. Senão perdemos imenso tempo em deslocações.

— Mas porquê voltar? — perguntou a Jodi.

— Para começar, eu queria aproveitar aquela mesa encantada — avisou a Harper. — Pode demorar tempo até encontrarmos outra. **AINDA MAIS TEMPO ATÉ CONSEGUIR FAZER UMA NOSSA.**

— Vamos ver se temos sorte — disse o Morgan. — Pode ser que os mobs não ataquem esta noite.

A Jodi percebia pela voz dele que o irmão não achava isso nada provável.

Todos estavam tensos ao descerem a montanha.

— Posso fazer armaduras e armas novas — afirmou a Harper. — **MAS PRECISAMOS DE MAIS FERRO.**

— Vou tratar disso — atalhou a Ash. — Só teremos de cavar e fazer figas.

— Não deites nada fora — pediu o Morgan. — Se só ficares com montes de terra e pedra, podemos erguer muros. Com muros, poderemos criar um funil.

— Esperto! — exclamou a Jodi. **Seria mais fácil lutar com poucos mobs de cada vez.** Não ficariam assoberbados nem cercados com a rapidez com que, por vezes, acontece em jogo.

— Também deveríamos cavar trincheiras — sugeriu o Po. — Dá-nos imensa terra para os muros.

— Bem pensado — disse o Morgan. — Não há assim muito tempo. Malta, façam o que puderem.

A Jodi viu para onde o Morgan olhava, o sol poente. Sentiu um arrepio de medo.

Em breve estaria escuro e haveria monstros.

A Jodi observava, ansiosamente, a Harper, que fazia peças de armadura para eles.

— **NÃO VAIS GANHAR PRÉMIOS DE ESTILO** — disse a Harper. Passou um capacete de ferro à Jodi. — Mas agora ficas mais bem protegida.

— É perfeito, Harper — declarou a Jodi. — Obrigada.

— Harper, **NÃO FAÇAS UMA ARMADURA PARA MIM** — indicou o Morgan.

A Jodi virou logo a cabeça na direção dele.

— Estás a falar a sério? — perguntou. — Foste tu quem ficou ferido ontem.

O Morgan assentiu solenemente.

— Pois fui. Mas queria experimentar uma coisa… **SE A HARPER ACHAR BOA IDEIA.** Vai ser preciso muito ferro.

A Jodi e a Harper viram o Morgan correr para um campo de abóboras ali perto. **Deu uma machadada numa das raízes.** A Harper sorriu.

— Acho que já sei o que queres — disse. — Deixa-me ajudar. — Assentou quatro blocos de ferro em forma de «T».

— Espero que isto dê certo — afirmou o Morgan, e pôs a abóbora em cima do ferro.

A criação deles ganhou vida de imediato. A Jodi abriu a boca.

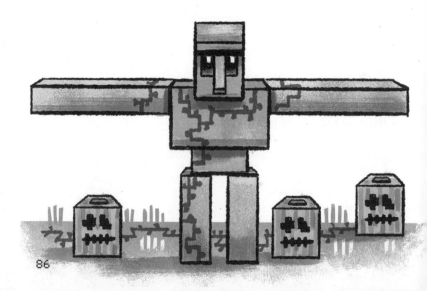

— O que é isto? — perguntou.

O Morgan e a Harper tinham criado uma figura alta e intimidante. Era cinzento ferroso, tinha braços longos e maciços, e olhos vermelhos profundos.

— **É UM GOLEM DE FERRO** — respondeu o Morgan. — Vai enxotar os mobs hostis. Está do nosso lado!

— Mesmo a tempo — falou a Harper, reparando no sol quase apagado. — É melhor assumirmos posições.

Ficaram em fileira no sopé da montanha. Embora ela fosse um avatar e nenhum deles precisasse de beber em jogo, **a Jodi poderia jurar que sentia a boca seca.**

— Preparem-se — disse o irmão. — Vêm aí.

Tinha razão. O sol ainda nem desaparecera, e já se via um bando de zombies no cume da montanha. **Eram pelo menos meia dúzia**, e apareciam mais com espadas.

— O golem vai primeiro — indicou a Harper. — Fiquem onde estão e deixem-no trabalhar.

Assim que um zombie ficou ao alcance dele, o golem avançou e atacou. Brandiu os braços e **atirou o zombie ao ar.**

— Ora toma! — exclamou o Po. — Ai, que voa tão bem.

Em breves instantes, o golem tinha entrado no enxame de monstros. A cada intervalo de segundos, via-se outro zombie a voar.

Mas eram muitos. **O golem não duraria para sempre.**

— Pronto — disse o Morgan. — Vamos mostrar aos mobs como é que se joga.

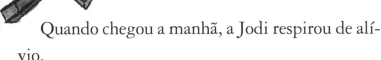

Quando chegou a manhã, a Jodi respirou de alívio.

Tinha sido uma noite longa e extenuante, **mas eles tinham sobrevivido.**

Ficou a ver o último dos mobs desaparecer entre o arvoredo. Apanhado pelo sol, um sobrevivente entrou em combustão espontânea! Ela riu-se só de ver aquilo.

Todavia, era difícil sentirem-se triunfantes. **A aldeia estava destruída.** Havia portas arrombadas. Duas casas com buracos nas paredes devido a explosões de creepers. **Flechas cravadas por toda a parte.** As sementeiras da aldeia todas espezinhadas.

— «Mai'nada»! — bradou o Po para os mobs em retirada. — Fujam! — **Estava vestido de guerreiro *viking* para a batalha.** — A minha fúria sanguinária está finalmente satisfeita.

— Ainda bem que te divertes com isto — disse o Morgan. — Mas não sei se conseguimos sobreviver a outra noite. — Mostrou uma picareta de madeira. — **A MINHA ESPADA PARTIU-SE** a meio do ataque. Tenho lutado com esta coisa!

A Harper abanou a cabeça.

— Se ao menos tivesse conseguido encantar algum material. Talvez para a próxima…

— Tem de haver próxima? — perguntou a Jodi.

— **SE CALHAR DEVÍAMOS SEGUIR EM FRENTE.**

— E deixar os aldeões? — questionou a Ash.

— Talvez — respondeu a Jodi. — Sei lá! Não deixaria gente a sério, mas eles não são a sério. Ou são?

— São tão reais como a *Bela* e a *Bola* — respondeu a Ash. A Jodi suspirou.

— Deve ser.

— Seja como for — acrescentou o Morgan — **EU GOSTARIA DE PERCEBER O QUE É ISTO.** Não é normal… pois não? — Suspirou. — Continuo a não acreditar que aqueles morcegos tenham saído do jogo. Mas há **TANTA COISA ESQUISITA A ACONTECER** aqui que temos de considerar essa possibilidade. Precisamos de mais informações.

— Estava a pensar a mesma coisa — referiu a Ash. — Vejam só o que aconteceu às sementeiras. Sei que alguns dos mobs bestiais atualizados podem espezinhar sementeiras, mas nunca tinha visto uma horda de zombies a estragar campos de cultivo.

— Eu também não — disse o Morgan. — Mas *li* que tinha acontecido, **NAS PRIMEIRÍSSIMAS EDIÇÕES DO MINECRAFT. TODOS OS MOBS PODIAM ESPEZINHAR SEMENTEIRAS.**

A Harper levantou a cabeça.

— Reparámos que os aldeões também eram anti-quados. Estaremos na versão original do jogo?

— Não. — O Morgan abanou a cabeça. — Tudo o resto parece atualizado. Suponho que pode ser uma mod.

— **MOD?** — perguntou a Jodi.

— Abreviatura para *modificação* — explicou a Ash. — **OS PROGRAMADORES PODEM MUDAR ASPETOS DO JOGO** com mods. Não é complicado. Mas quem mudaria um pormenor assim? E porquê?

— Ou… — disse a Harper. — Será o género de avaria de que a Dra. Culpepper nos falou?

— É difícil perceber — respondeu o Morgan. — Como já disse, quero cá ficar para saber mais.

— Deveras! — exclamou logo o Po, com gana. — **O MEU FERRO TEM FOME** de carne zombie!

— E eu quase tenho fome para concordar — disse a Jodi. — Mas contento-me com maçãs. Outra vez.

— **DEPOIS PRECISAMOS DE MAIS FERRO** — apontou a Harper. — **TENHO A SENSAÇÃO DE QUE VAMOS QUERER MAIS ESPADAS ANTES DE ISTO ACABAR.**

Capítulo 9

OS BULDÓZERES GIGANTESCOS NO PARQUE SÃO LINDOS NESTA ÉPOCA DO ANO.

A Ash tirou os óculos. Eles tinham passado o dia e a noite em jogo, mas passara muito pouco tempo na vida real. A Prof.ª Minerva estava no gabinete ao lado. A Ash conseguia ver-lhe o cabelo encaracolado pelas janelas. Conhecendo a professora, **provavelmente estava absorta num livro.** A Prof.ª Minerva era uma pessoa de hábitos.

Os morcegos também. Onde estariam? **A Ash andava a pensar na estranha infestação da escola.**

— Tem de haver uma razão para os morcegos estarem aqui — disse ela. — Não acham?

O Po pendurou os óculos no gancho.

— **Tacos à Terça?** — sugeriu.

— Não me parece que cá estejam devido à comida do refeitório — afirmou a Harper. — Mas talvez tenhas alguma razão. Haverá montes de mosquitos saborosos na zona?

A Ash olhou para o relógio. **Tinha uma hora antes de ir para casa jantar.**

— Vocês estão livres mais algum tempo? — perguntou. — Queria investigar. Ir ao parque de que o Morgan falou, talvez. — Ela tamborilou no **emblema de escoteira superdetetive.**

— Alinho — respondeu a Jodi. — **Mas primeiro preciso de um lanche que não seja uma maçã digital.**

— Tacos! — exclamou o Po.

A Ash ainda não tinha ido ao parque desde que fora morar naquela cidade, mas ouvira dizer que era ótimo para passar uma tarde do fim de semana. **Estava à espera de campos de relva**

sem fim, flores de todas as cores, e um lago onde nadassem patos em fila indiana.

Não estava nada à espera de um **buldózer e de uma grua gigantescos**. As máquinas de construção estavam à beira do parque, mesmo ao lado de uma área densamente arborizada. **Já tinham aberto uma clareira grande entre as árvores.**

— Há quanto tempo é que isto dura? — perguntou.

— Deve ser recente — respondeu o Morgan. — Estive cá há umas semanas. Só havia árvores.

— **Vamos ver** — sugeriu a Harper.

— Não se importam de me empurrar? — pediu o Po. — Esta relva é tramada para poder rodar.

— Eu empurro — disse a Jodi.

Dirigiram-se às máquinas. Havia uma longa vedação de arame a isolar a área. As árvores tinham desaparecido, e o chão estava uma confusão de terra e de raízes quebradas.

99

— Ena, olhem só para esta parte do parque — falou o Morgan. — **Fizeram mesmo uma trapalhada.**

— É uma pena — disse um velhote. Estava sentado num banco de jardim, com o jornal ao colo e um *pug* a dormitar aos pés. — **Venho todas as noites ver os morcegos, mas agora desapareceram.**

A Ash sentiu o coração bater mais.

— O senhor disse *morcegos*?

— Pois disse. — O homem assentiu. — Não se dá por eles durante o dia, mas enchiam as árvores. Ao crepúsculo, acordam todos e voam em busca de jantar. **Por vezes, levantava voo uma**

centena deles de uma assentada só. Era uma visão espetacular. — O velhote suspirou. — De certeza que os prédios de apartamentos que vão construir também vão ser bonitos… **SÓ QUE NÃO!** — Depois voltou a olhar para o jornal.

— Então foi isso que aconteceu — disse a Harper. Ficou mais entusiasmada e com a cabeça a mil. — Por isso é que os morcegos estão na nossa escola. **Destruíram-lhes o habitat.**

— Temos de travar as obras! — exclamou a Jodi. — Se calhar, podíamos explicar o problema aos pedreiros…?

— É tarde demais — referiu o Po, triste. — Olha só. O estrago está feito.

— **A casa deles… desapareceu** — afirmou o Morgan.

A Ash estava desolada só de pensar. Nem o *pug* adormecido a poderia animar.

Capítulo 10

UM PROBLEMA É APENAS UMA SOLUÇÃO QUE AINDA NÃO SE ENCONTROU.

No dia seguinte, o Po chegou cedo à escola. Achava ser a melhor oportunidade de falar com a Prof.ª Minerva.

Encontrou-a na sala de aula e contou-lhe tudo do parque e do habitat arrasado dos morcegos. A explicação era óbvia: **os morcegos não tinham mais para onde ir!**

— Por isso é que vieram para cá — rematou ele. — A culpa não é dos morcegos. Provavelmente, nem sequer querem cá estar. Só precisavam de um sítio para dormir durante o dia.

A Prof. Minerva sorriu-lhe. Mas era um sorriso triste e sumido.

— Fico impressionada que tu e os teus amigos tenham conseguido apurar tudo isso — disse. — Estou impressionada com a tua compaixão para com os morcegos. Mas não muda realmente nada, Po. Independentemente do *motivo* para os morcegos cá estarem, estão cá. E nós precisamos que deixem de estar.

— Mas… — começou o Po. Não sabia o que mais dizer. Já tinha defendido a sua causa.

— Lamento muito, Po — afirmou a Prof.ª Minerva. — O exterminador vem amanhã. Não há nada que eu ou tu possamos fazer para o impedir.

— Não posso crer — lamentou o Po, mais tarde. Estavam no Minecraft, a preparar-se para outro cerco. **Ele assumira a figura de pedreiro.** — Recuso-me a aceitar que não podemos fazer nada.

— Eu sei, amigo — disse o Morgan. — Eu também quero impedir os zombies de atacar.

— Não estou a falar dos zombies — explicou o Po. — **ESTOU A FALAR DOS MORCEGOS!** Sabes… na vida real?

— Ah, pois, desculpa — pediu o Morgan. Se fosse possível corarem em jogo, o Po tinha quase a certeza de que o Morgan estaria rosado naquele momento.

— Não queria ser brusco contigo — justificou o Po. — Estou só frustrado porque **A VERDADE SOBRE OS MORCEGOS NÃO SERVIU DE NADA.**

— Esperem lá — disse a Harper. Guardou a picareta e ficou muito quieta.

— Hum… Harper? — chamou o Po. — **ESTÁ TUDO BEM?**

— Estás a pensar no mesmo que eu? — perguntou ela.

— Tu estás… a pensar em pizza? — contrapôs ele, ao que ela o mirou. — Isso é um não? — perguntou ele. A Harper abanou a cabeça.

— Não. Estou a pensar: **E SE O PROBLEMA DOS MORCEGOS E O PROBLEMA DOS ZOMBIES SÃO O MESMO PROBLEMA?**

A Ash semicerrou os olhos.

— Como assim?

— Pensem bem — falou a Harper. — Estamos sempre a dizer que os monstros atacam a aldeia. Mas será que sim? **ELES ESPEZINHAM TUDO POR ONDE PASSAM, LUTAM CONNOSCO SE LHES FIZERMOS FRENTE.** Mas… e de resto?

A Ash assentiu lentamente.

— Lembram-se da noite em que nos escondemos na biblioteca? Eles passaram pela aldeia e foram para a floresta do outro lado, não foram?

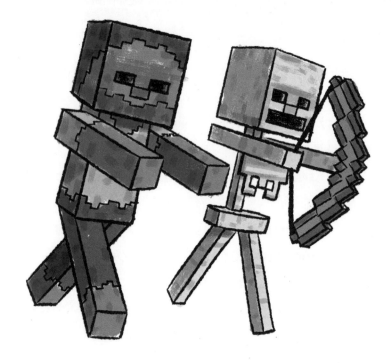

— Também aqueles que passaram por nós esta noite — acrescentou a Jodi. — Fugiram para a mesma floresta.

O Po matutava no que elas estavam a dizer.

— ACHAM QUE OS ZOMBIES E OS ESQUE-LETOS ESTÃO... A MUDAR DE SÍTIO? ESTÃO A MUDAR-SE DE UM HABITAT PARA OUTRO? — perguntou ele.

— Acho que talvez estejam — respondeu a Harper. — Estão a mudar-se da montanha para a floresta. Acontece que a aldeia fica no caminho.

— Ora esta — comentou o Morgan, aos saltinhos. — Se for verdade, então **NÃO AJUDÁMOS EM NADA A ALDEIA QUANDO LUTÁMOS COM OS MOBS.** Estamos a piorar as coisas!

— Mas, com o que sabemos agora, podemos melhorar as coisas — declarou a Harper.

— Finalmente — disse o Po. — **UM PROBLEMA QUE PODEMOS REALMENTE RESOLVER!** Mas, então, como havemos de fazer?

— Deixamos de lutar com os monstros — explicou a Harper. — E começamos a ajudá-los.

Capítulo 11

TOCA A ANDAR, ZOMBIES, AQUI NÃO HÁ NADA PARA VER!

Tal como tinham feito na outra noite, **os miúdos trabalharam durante o dia a preparar o cerco noturno.** Ora, desta vez, a Harper pensou em preparativos diferentes. Desta vez, eles tinham de construir.

Começaram por uma ponte — um passadiço amplo e flutuante que começava no cume da montanha e passava por cima da aldeia. Tinham muito «lixo» que ficara da extração de ferro nessa noite: terra e diversas variedades de pedra. Agora tudo servia. A Harper

111

decidiu que a ponte devia ter um corrimão alto, para diminuir as probabilidades de cair dela abaixo. Era só o que faltava, os zombies seguirem pela ponte e caírem direitinhos. **Imaginou que o caos dos zombies a abaterem-se sobre a aldeia seria como granizo.**

Uma «engenheira» imaginava os problemas e depois trabalhava para os evitar.

A ponte era boa para começar, mas não conseguiam fazê-la larga o suficiente para desviar todos os mobs.

Por conseguinte, abriram um túnel. Do sopé da montanha, passando por baixo da aldeia, até à mata mais para lá. Com sorte, a maioria dos mobs que falhasse a ponte acabaria no túnel. **Os mobs que caíssem nele não ficariam presos**, mas também não conseguiriam saltar para fora antes de contornarem a aldeia.

Mesmo trabalhando em equipa, havia muito que fazer. Terminaram pouco antes de o sol se pôr.

— **NÃO É A PONTE MAIS BONITA QUE JÁ VI** — disse o Po.

— Também não tem de ser — contrapôs a Harper. — Só tem de servir. *Por favor, tem de servir!*

— Então o que fazemos agora? — perguntou a Jodi.

— Saímos do caminho — respondeu a Harper. — A nossa presença pode estragar tudo. Se nos virem, OS MOBS AINDA PODEM VIR ATRÁS DE NÓS.

— Voltamos à biblioteca da aldeia, então — decidiu o Morgan. — E esperamos pelo melhor.

— E conversamos acerca de outro problema — disse a Ash. — No mundo real. — Ela sorriu. — ACHO QUE A SOLUÇÃO DA HARPER PARA OS ZOMBIES PODE AJUDAR-NOS A SALVAR OS MORCEGOS TAMBÉM.

Capítulo 12

MORCEGOS, *TAKE* TRÊS: NÃO TÊM DE IR PARA CASA, MAS NÃO PODEM FICAR AQUI.

— **H**arper, tu és um génio — afirmou a Ash, mal voltaram ao mundo real. — Estou tão contente que tenha dado certo!

— Também estou contente — sorriu a Harper.

O plano tinha sido um êxito retumbante. Embora eles tivessem ficado à janela da biblioteca a noite inteira, **não tinham avistado nem um único mob.** Os zombies tinham estado lá fora, sim. Ouviam-se bem os grunhidos ao longe. Mas não tinham chegado perto da aldeia. As sementeiras e as casas permaneceram intocadas.

— Espero que o nosso próximo plano dê certo como este — disse o Po.

O Morgan apontou para o relógio.

— O sol está quase a pôr-se. Os morcegos hão de sair da escola em breve.

— E a malta das Escoteiras Bravias da Ash vai reunir-se no ginásio daqui a meia hora — referiu a Jodi. — Ash, de certeza que podemos ir?

— Vou explicar tudo à minha Escoteira-chefe — disse a Ash. — De certeza que a consigo convencer a ouvir-nos. Mas todas as Escoteiras têm de aceitar ajudar-nos, caso contrário, acho que não vamos conseguir a tempo.

— Vamos ligar aos nossos pais, a contar o que andamos a fazer — sugeriu o Morgan. — Também devíamos pedir autorização a um professor.

O Po apontou para a Prof.ª Minerva, do lado de lá da janela, exatamente no momento em que a professora se levantou e se espreguiçou.

— Já sei a quem pedir — falou ele.

Meia hora depois, a Ash estava à cabeceira de uma mesa cheia. Mexeu no emblema de Oradora Espantosa para dar sorte.

— **Olá a todas** — disse. — Desculpem invadir a reunião desta maneira, mas dava-me jeito a vossa ajuda. — Apontou para o Morgan, a Jodi, a Harper e o Po, todos perfilados atrás dela. — Dava-*nos* jeito a vossa ajuda — corrigiu. — **Quantas das Escoteiras Bravias são alunas nesta escola?**

Algumas Escoteiras puseram as mãos no ar.

— Muito bem — sublinhou a Ash. — Bem, para aquelas que não são, deixem

117

que lhes diga: tem sido uma semana invulgar. **A nossa escola foi invadida por morcegos.** Têm dormido nas vigas do ginásio.

Toda a gente olhou para o teto.

— Não se aflijam. Agora não estão cá. O sol já se pôs, e saíram todos à caça. Comem mosquitos e outros insetos. Até são bastante úteis! — Ela tornou a mexer no emblema. — Apesar disso, não são propriamente bem-vindos numa escola. Portanto, enquanto eles estão fora, **espero que vocês consigam encontrar os buraquinhos e as**

fendas por onde eles entram e saem. Se conseguirem tapar esses buracos esta noite, eles não poderão voltar para a escola de madrugada.

Uma das Escoteiras pôs a mão no ar.

— Mas então para onde é que os morcegos vão? — perguntou. — Isso não faz com que o problema passe para outras pessoas?

— Boas perguntas — respondeu a Ash, e fez sinal para os amigos. — **Deixem essa parte connosco.**

Capítulo 13

MORCEGOS, *TAKE* QUATRO: JÁ SENTIMOS A VOSSA FALTA. NÃO SE ESQUEÇAM DE ESCREVER.

■ Po estava na escola ao sábado de manhã. *Sábado!* Mais, **estava animado** por ali estar. Se alguém lhe tivesse dito isso umas semanas antes, ele não teria acreditado. Mas não queria perder o que iria acontecer por nada deste mundo.

Quando chegou, viu que os amigos também lá estavam, no passeio, quando chegou uma carrinha, que parou em frente à escola. Estava enfeitada com imagens de morcegos, insetos e ratos. **Todas as criaturas estavam cobertas com grandes riscos vermelhos.**

A Prof.ª Minerva saiu do edifício. Viu o Po e os outros alunos, e mostrou-lhes os polegares em

riste. Depois virou-se para o **exterminador**, que avançava para si, a arrastar os pés. Caminhava, de facto, devagar, carregado com equipamento. A Prof.ª Minerva despachou-o.

— Desculpe — disse. — Parece que afinal já não precisamos dos seus serviços.

O homem estava claramente baralhado.

— Esta não é a escola que tem morcegos?

— *Era* a escola que *tinha* morcegos — respondeu a professora. — Agora é a escola que tem alunos inteligentes, que resolvem problemas. — Piscou o olho ao Po e aos amigos.

— Está bem — referiu o exterminador. — Então e baratas? Têm baratas?

A Prof.ª Minerva pegou-lhe pelo braço e encaminhou-o de volta à carrinha.

— Nós podemos tratar de tudo — sublinhou ela. **O exterminador grunhiu**, ainda sem saber bem o que tinha acontecido.

Quando o exterminador arrancou, **o Po e os amigos deram mais cincos e socos no ar.**

A Prof.ª Minerva aproximou-se deles.

— Tive de verificar na escola inteira para ter a certeza — declarou. — Mas é verdade. Não há um único…

De repente, **a Dra. Culpepper saiu de rompante pelas portas da escola.**

— Nada de pânico! — bradou. — Eu posso resolver o problema! Provavelmente.

— Ena — exclamou o Po. — Mas *toda a gente* vem à escola aos sábados?

— Estive aqui a noite toda, para aperfeiçoar isto — justificou ela, **a mostrar uma engenhoca estranha.** Parecia um diapasão, mas tinha fios e botões que se acendiam como luzinhas de Natal.

— Com **o princípio da ecolocação**, o meu diapasão cantante deve produzir um som que vai repelir os morcegos sem causar hemorragias ao ouvido humano. Mais uma vez aviso que é provável,

não há garantias! — Ela pigarreou. — Só tenho de encontrar as coisas primeiro. **A escola ainda está infestada, não está?**

A Prof.ª Minerva sorriu.

— Perdeste a brincadeira toda, Culpepper. Estes cinco resolveram o problema por nós.

— Venham connosco — pediu a Ash. — Vamos mostrar-vos como foi.

O recinto da escola era grande. Eles levaram as professoras para lá do edifício principal. Para lá dos pré-fabricados. Para lá do recreio infantil. E continuaram.

Finalmente, chegaram a uma estrutura de madeira na extremidade do relvado. **Parecia**

uma arrecadação... daquelas onde o guarda do parque pode ter as ferramentas de jardinagem. **Mas tinha dezenas de pequenas aberturas na parte de cima.**

— Isto esteve sempre aqui? — perguntou a Dra. Culpepper.

— Não, fomos nós que construímos esta noite — respondeu a Ash. — Enquanto o meu grupo de Escoteiras selava a escola para impedir os morcegos

de entrarem, a Prof.ª Minerva ajudou-nos aos cinco a montar esta estrutura. Queríamos que os morcegos tivessem um sítio bonito para ser a casa deles.

— Chamámos-lhe «Casa dos Morcegos» — explicou o Po. — Por razões óbvias. Agora que o digo em voz alta, sinto que poderíamos ter-nos saído melhor.

— Oh, graças a Deus — disse a Dra. Culpepper, e guardou a engenhoca na sacola. — Porque esta tecnologia está completamente por testar e, para ser franca, as hipóteses de sucesso eram poucas.

A Prof.ª Minerva inspecionou a Casa dos Morcegos. Passou os dedos por um conjunto de iniciais gravadas na madeira.

— Sabem, nem sequer me ocorreu perguntar — disse. — **Onde é que arranjaram material para fazer isto?**

O Po viu a Ash murchar um pouco.

— Tivemos de desmantelar parte da minha Casa na Árvore — respondeu ela. A Prof.ª Minerva sorriu compassivamente.

— Foi uma grande generosidade da tua parte.

A Dra. Culpepper concordou.

— Havemos de a repor, Ash — disse o Morgan. — Havemos de a fazer ainda melhor do que antes.

— Não faz mal — referiu a Ash. — **Foi por uma boa causa**, e a Harper deu-me ótimos conselhos.

A Harper consentiu.

— Pois foi. Por vezes, é preciso desmantelar alguma coisa para fazer outra ainda melhor.

— **Acho que todos aprendemos uma valiosa lição esta semana** — disse o Po. Após uma pausa dramática, acrescentou: — **E a lição é... nem toda a gente gosta de palhaços.**

Os miúdos riram-se. A Prof.ª Minerva mandou--os sossegar.

— Estão a dormir — afirmou, a espreitar pela janela da Casa dos Morcegos.

— Eles é que sabem — disse a Jodi, a esfregar os olhos. — Foi uma semana e peras.

Capítulo 14

NASCE UM NOVO DIA! PAIRA NO HORIZONTE UM NOVO PERIGO...

Nasceu um novo dia na aldeia, no Minecraft. A Ash e os amigos estavam lá para o saudar.

Mas também tinham trabalho a fazer.

O inventário estava vazio desde o combate contra os mobs. As ferramentas e as armas, estragadas. Havia escassez de comida.

Juntos, arquitetaram um plano para se recomporem com a brevidade possível.

O Morgan concentrou-se em cavar. **Havia abundância de minério na montanha.** O que não pudessem usar, poderiam sempre trocar.

Teve o cuidado de não cavar muito fundo. Já tinha a sua quota-parte de mobs

hostis por bastante tempo. A dada altura, bastou ouvir um único morcego a chiar para fugir a toda a velocidade.

A Jodi estava encarregada do Mundo Superior. Derrubou árvores, apanhou maçãs, tratou das sementeiras. Com os ossos em pó dos esqueletos derrotados a servir de adubo, as sementeiras cresceram com extrema rapidez.

O Po era o seu «estafeta». **Trajado de mensageiro**, ia ter com o Morgan e a Jodi, que lhe davam materiais excedentes. Entregava, por sua vez, os materiais à Ash, antes de voltar a fazer o mesmo percurso.

A tarefa da Ash era trocar os excedentes com os aldeões. Tinha sido ela a manter o inventário, pelo que sabia do que ainda precisavam.

Estava especialmente animada por trocar a carne podre de zombie com o sacerdote, que lhe propôs lápis-lazúli em promoção.

O lápis-lazúli era um minério raro, com uma espantosa cor azul. Sem dúvida de que o Po ou a Jodi lhe adorariam deitar a mão. Ora, a Ash sabia de outra coisa para que o lápis-lazúli podia servir. Passou-o à Harper, encarregada de fazer ferramentas novas para substituir as estragadas.

— Sabes o que fazer com isto? — perguntou a Ash quando lhe entregou o lápis-lazúli. A Harper sorriu.

— Ai sei, sim, senhora.

A Harper deixou a Ash ir com ela à biblioteca da aldeia. **Juntas, aproximaram-se da mesa de encantar**, com o insólito livro flutuante. Tal como sucedera antes, o livro abriu-se quando elas chegaram perto.

— Magia — sussurrou a Ash. — Magia a sério!

— Com o lápis-lazúli, e com todos os pontos de experiência que ganhámos por combater os mobs, **PODEMOS FAZER MAGIA NOSSA.** — Ela esfregou as suas mãos cúbicas. — Por onde havemos de começar? Uma espada resplandecente? Um capacete que desvia flechas?

A Ash refletiu.

— Mas qual de nós usaria o capacete? **QUEM FICARIA COM A ESPADA?** Será que há uma opção com benefícios para todos nós ao mesmo tempo?

— Vamos pensar nisso — propôs a Harper, e olhou em volta. — Hum. Mas que esquisito.

— O quê? — perguntou a Ash.

— Ainda não vi a bibliotecária hoje — respondeu a Harper. — Achei que estaria aqui.

— É estranho, pois — disse a Ash. **Os aldeões costumavam ser muito previsíveis.** Ela suspirou. — Mais um mistério para juntar à lista.

Após uns dias de preparativos em jogo, a Ash sentia-se finalmente confiante de que estavam prontos a seguir em frente.

— **ESTOU ANSIOSA POR VER O QUE MAIS HÁ POR AÍ** — declarou.

— Mesmo que não seja algo amistoso? — perguntou o Morgan. A Jodi dava saltinhos.

— Lidámos com aquela horda — disse. — Podemos lidar com qualquer coisa!

— Nem a neve nem a chuva nos podem parar — acrescentou o Po, a citar um antigo *slogan* dos Correios.

— E eu tenho algo que vai facilitar um pouco a viagem — afirmou a Harper. Mostrou a todos uma cana de pesca. — **TCHARAN!**

— Boa! — exclamou a Jodi. — Finalmente, podemos comer mais do que maçãs e pão.

— Ora, não se trata de uma cana de pesca qualquer — explicou a Harper. — Encantei-a, e a pesca vai ser mais fácil.

— **A NOSSA PRIMEIRA PEÇA ENCANTADA** — declarou o Po. — Ora cá está uma expedição especial!

A Jodi deu-lhe uma cotovelada e disse:

— Basta de humor «postal». Devolvido ao remetente, homem carteiro.

A Ash reparou que o Morgan estava distraído.

— **MORGAN, O QUE SE PASSA?** — perguntou.

— Tenho estado a pensar — disse ele, hesitante.
— Descobrimos que os mobs andam a mudar de sítio, como os morcegos fizeram. Ora, os morcegos mudaram-se por uma razão. Foram expulsos do seu habitat.

— Acho que já sei onde queres chegar — interrompeu a Ash.

— Pois — disse o Morgan. — Estou a pensar: **PORQUE É QUE OS MONSTROS ESTAVAM A**

MUDAR DE SÍTIO? O que aconteceu ao habitat deles? Estariam a fugir de alguma coisa?

— A fugir? — repetiu a Jodi. — Achas que os monstros estavam em fuga?

— **EM FUGA DE QUÊ?** — perguntou o Po.

— Pois. O que é que pode causar medo a uma horda inteira de zombies e esqueletos? — indagou a Harper. O Morgan virou-se para a montanha.

— **A RESPOSTA ESTÁ POR ALI, ALGURES.** — Agarrou bem na espada de ferro acabada de forjar. — E **SÓ NÓS A PODEMOS DESCOBRIR.**

SE ESTÁS
PRONTO PARA OUTRA
AVENTURA MINECRAFT,
NÃO PERCAS MAIS
TEMPO OU OS
MOBS HOSTIS VÃO
APANHAR-TE!